Auteurs :
Dominique Foufelle
Catherine Rambert
Sonia Staebler
Michèle Soldevila

Illustrateurs :
Didier Cabaret
Fabienne Gallois
Thierry Nouveau
Valérie Pettinari
Jean-Christophe Raufflet
Patrick Royer
Christian Staebler
Sophie Surber
Natacha Toutain

Directrice de l'édition : Fabienne Kriegel
Éditrice assistante : Sophie Landais

ISBN collection : 2-84634-134-6
ISBN ouvrage : 2-84634-136-2
Dépôt légal mai 2005
Imprimé en France par Pollina, 85400 Luçon - n° L96543-B.

www.hachette-collections.com

**b**

comme **B**enoît

Maman,
c'est quoi un **B** ?
demande **B**enoît.

Un **B**, c'est la première lettre de **B**enoît ou bonheur, répond maman en ouvrant un livre. Écoute...
Mais **B**enoît s'endort déjà.

**B**enoît rêve...
Un petit **b**onhomme **b**arbu
chuchote à son oreille.

**B**onjour **B**en

Je m'appelle **B**arnabé.
Veux-tu venir avec moi visiter le **b**ois magique ?

Je te présente la **b**iche.
Elle s'appelle **B**abette, dit **B**arnabé

Bonjour **B**enoît, dit **B**abette. Monte dans ma brouette, nous allons voir Dame **b**elette.

Benoît découvre le **b**ois magique.
Tous les arbres portent
des **b**allons multicolores.

Comme c'est **b**eau !
dit **B**enoît. Dame **b**elette
les attend,
vec un paquet de **b**onbons.

Dame **b**elette offre un joli **b**onbon **b**leu
à la **b**iche gourmande.

e peux avoir un **b**allon ?
emande **B**enoît.
ien sûr, répond **B**arnabé.

Dame **b**elette secoue une **b**ranche pour faire tomber les **b**allons.

Si on jouait au **b**allon, propose **B**enoît.

**B**enoît envoie le **b**allon à **B**abette qui le renvoie à Dame **b**elette.

**B**arnabé intercepte le **b**allon et envoie vers **B**enoît qui attrape dans ses **b**ras. Et…

**B**ut ! s'écrie **B**enoît
en **b**loquant le **b**allon au sol.

**B**ravo, applaudissent ses amis.
Tu es un vrai champion ! dit **B**arnabé.

Tu mérites une récompense. Veux-tu un **b**onbon ? demande **B**arnabé.

Ou une **b**anane ? propose Dame **b**elette.
Ou un **b**ouquet pour ta maman ! dit la **b**iche
**B**abette.

Non merci, dit **B**enoît.
Je sais ce que maman préfère...
À **b**ientôt !
crie **B**arnabé.

Au revoir !

**B**enoît se réveille : maman ! J'ai un cadeau pour toi.

Qu'est-ce que c'est ? demande maman.

# **B**eaucoup de **b**isous !

**b**ougie

**b**anc

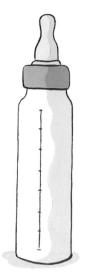

**b**iberon

**b**onhomme

**b**ouée

**b**rioche

# ...ots de **B**enoît

**b**outeille

**b**illes

**b**ague

**b**outon

**b**ateau

**b**alai